D0450537

Geronimo Stilton

IN CAMPEGGIO ALLE CASCATE DEL NIAGARA

PIEMME
Junior

GERONIMO STILTON
TOPO INTELLETTUALE,
DIRETTORE DE L'*ECO DEL RODITORE*

TEA STILTON
SPORTIVA E GRINTOSA,
INVIATO SPECIALE DE L'*ECO DEL RODITORE*

TRAPPOLA STILTON
INSOPPORTABILE E BURLONE,
CUGINO DI GERONIMO

BENJAMIN STILTON
TENERO E AFFETTUOSO,
NIPOTINO DI GERONIMO

Un ringraziamento agli amici canadesi Sandro Shahriar Saes e Milagros...
e un affettuoso abbraccio ai piccoli Sahand e Samira!

Testi di Geronimo Stilton.
Coordinamento editoriale di Piccolo Tao.
Editing di Certosina Kashmir *e* Topatty Paciccia.
Coordinamento artistico di Gògo Gó *in collaborazione con* Certosina Kashmir.
Copertina di Giuseppe Ferrario.
Illustrazioni interne di Lorenzo Chiavini, Roberto Ronchi *e* Chiara Sacchi.
Grafica di Merenguita Gingermouse *e* Michela Battaglin.

www.geronimostilton.com

I Edizione 2005

15033 Casale Monferrato (AL) - Via del Carmine, 5
Tel. 0142-3361 - Telefax 0142-74223

Stampa: Mondadori Printing S.p.A. - Stabilimento AGT

QUELLA MATTINA, EHM, QUELLA MATTINA...

Quella notte venne giù una pioggia da diluvio. Le gocce picchiettavano contro i vetri con un rumore scrosciante: SCIAF! SCIAF! SCIAF!

Mi addormentai borbottando: – Pare... proprio... di... dormire... vicino... a... una... una... una... CASCATA... ronf!

PIOVVE PIOVVE PIOVVE tutta la notte.

La mattina mi risvegliai stiracchiandomi.

Ma quando vidi la sveglia...

frullarono

Mi *frullarono* i baffi dall'ansia!

frullarono

Strillai disperato: – *Per mille mozzarelle!*

Sono in **ritardo! Ritardo-ritardissimo!**

Mi precipitai in bagno!

Aprii l'acqua della doccia mentre mi lavavo i denti!

Pettinai i baffi mentre mi infilavo i pantaloni!

Inghiottii il tè mentre uscivo dalla porta!

Corsi a perdifiato fino a casa di zia Lippa, dove abita il mio nipotino Benjamin.

AUFF, GIUSTO GIUSTO GIUSTO in tempo per accompagnare Benjamin a scuola!

Passammo davanti all'*Eco del Roditore*, il giornale più **FAMOSO** dell'Isola dei Topi... il giornale che dirigo io!

APRII L'ACQUA
DELLA DOCCIA
MENTRE
MI LAVAVO
I DENTI!
PETTINAI I BAFFI
MENTRE MI INFILAVO
I PANTALONI!
INGHIOTTII IL TÈ
MENTRE USCIVO
DALLA PORTA!

Benjamin mi chiese: – Zio, posso portare i miei compagni a visitare l'*Eco*?

Io sorrisi. – Ma certo, nipotino carissimo. È interessante scoprire come nasce un giornale!

Finalmente arrivammo davanti alla scuola di Benjamin.

Che confusione!

Tanti topini erano accompagnati dai genitori, altri scendevano da uno scuolabus.

La campanella della scuola trillò.

Drrrrrrrrrriiiiiiiñnnnnnnnnnnnnnnnnnn!

Entrò una roditrice *bionda*, dagli occhi AZZURRI e puliti come il cielo a primavera. Aveva un'aria **decisa**, ma anche *dolce!* Indossava un paio di jeans e una camicetta BIANCA.

Lei mi sorrise gentilmente. – Buongiorno, io sono la maestra **Topitilla De Topillis!**

Io le sorrisi e le baciai la zampa. – Buongiorno, signorina! Il mio nome è Stilton, *Geronimo Stilton*, sono lo zio di Benjamin!

I COMPAGNI DI BENJAMIN
Trippo
Kiku
Liza
Rarin
Diego
Mohamed
Takeshi
Carmen
Rupa
Tui

David
Esmeralda
Kuti
Hsing
Laura
Atina
Tian Kai
Milenko
Antonia
Sakura
Benjamin
Oliver

QUANDO? MA ANCHE SUBITO!

Stavo per uscire quando la maestra annunciò:
– Oggi decideremo dove andare in gita!
Poi mi chiese: – Dottor Stilton, posso chiederle *un consiglio?* Ecco dove vorremmo andare...
Con il gesso iniziò a scrivere *qualcosa* sulla lavagna, ma proprio allora Trippo mi fece lo sgambetto e io FINII A GAMBE ALL'ARIA!
Cadendo persi gli occhiali!

NIA
Fiuuuuuuuuuuuu!

La maestra **indicò** la lavagna e chiese: – Le sembra una buona idea, dottor Stilton? Sarebbe una gita istruttiva e divertente...
Io balbettai: – Ehm... **UN ATTIMO...**
Intanto cercavo gli occhiali!
Disperato, **FISSAI** la lavagna strizzando gli occhi. Uhm, che cosa c'era scritto?
Mi parve di leggere 'ECO DEL RODITORE' e immaginai che la maestra volesse visitare il mio giornale!
Dissi alla maestra: – Se le interessa fare questa esperienza insieme con i suoi alunni, io sono a sua disposizione!
Lei era stupita: – Davvero, dottor Stilton?

– Ma certo. E non mi chiami dottor Stilton... ma Geronimo!

Lei ripeté: – Lei sarebbe disponibile a...

– Ma certo che sono disponibile!

– E... quando?

– Quando vuole!

– Anche... questa settimana?

– Anche questa settimana!

– Anche... oggi?

– Anche oggi!

– Ma... chi pagherà?

– Siete tutti miei ospiti!

– E... chi ci accompagnerà?

Io sorrisi: – Vi accompagnerò io personalmente.

Mi offro volontario, ***parola d'onore di roditore!***

La maestra gridò felice: – Il dottor Stilton, cioè Geronimo, si offre *volontario* per accom-

pagnarci *personalmente* e *oggi* stesso alle *Cascate del Niagara,* gratis, per una settimana... siamo tutti suoi *ospiti*!

La classe **gridò** felice: – **Urrà**! Andiamo alle *Cascate del Niagara*! *Oggi! Per una settimana e gratis!* Grazie dottor Stilton! Anzi, grazie Geronimo!

Io chiesi stupitissimo: – **Eh? Niagara?**

Trippo mi tirò un baffo: – Guarda la lavagna! C'è scritto 'NIAGARA', non vedi?

Io finalmente trovai gli occhiali. Li infilai e lessi: **NIAGARA!**

Tentai di spiegare: – Io... veramente... ehm... intendevo... farvi visitare... la sede dell'ECO DEL RODITORE... non le CASCATE DEL NIAGARA...

Benjamin mi ricordò: – Zio Geronimo, hai dato la tua ***parola d'onore di roditore!*** Non puoi più tirarti indietro!

Io sospirai. – Hai ragione!

La maestra stava già telefonando a un'agenzia di viaggi. – Sì, ventidue alunni più la maestra, più Geronimo, ci servono ventiquattro biglietti andata e ritorno per le Cascate del Niagara...

Io tirai fuori la mia carta di credito **TOP-CARD-DIAMANT-GOLDEN-PLUS** con un sospiro. Ne avrei avuto bisogno: viaggiare in 24 era costoso!

La maestra sventolò un quaderno dalla copertina gialla: – Ecco il **DIARIO DI VIAGGIO**. Lo scriveremo giorno per giorno, raccontando le nostre esperienze e le nostre emozioni per non dimenticarle quando questo bellissimo viaggio sarà terminato!

Ecco come si tiene un diario di viaggio!

Oggi è il: ....

Andiamo a: ....

Il tempo è: S N O

Che cosa abbiamo visitato: ....

....

I momenti più divertenti: ....

....

CHE COSA ABBIAMO MANGIATO: ....

....

IMPREVISTI: ....

SORPRESE: ....

....

LA FOTO È STATA

SCATTATA A: ....

MA QUANDO SI ARRIVA?

Le Cascate del Niagara si trovano nell'America del Nord, al confine tra Stati Uniti e Canada, molto lontano dall'Isola dei Topi!

Il viaggio in aereo fu lunghissimo... e ***TREMENDO!***

Diego mi versò un'**ARANCIATA** sul computer...

Sakura mi spalmò un grosso **GELATO** sulla cravatta...

Diego mi versò un'aranciata...

Sakura mi spalmò un gelato...

David mi strappò un baffo...
Carmen fece cadere una valigia sul mio piede...
Esmeralda chiacchierò chiacchierò chiacchierò
senza interruzione...
Milenko mi chiese 317 volte: – Uffa, ma quando si arriva?
Tra una cosa e l'altra, io tentavo disperatamente di concentrarmi per leggere il libro che parlava delle Cascate del Niagara.
Che storia interessante!

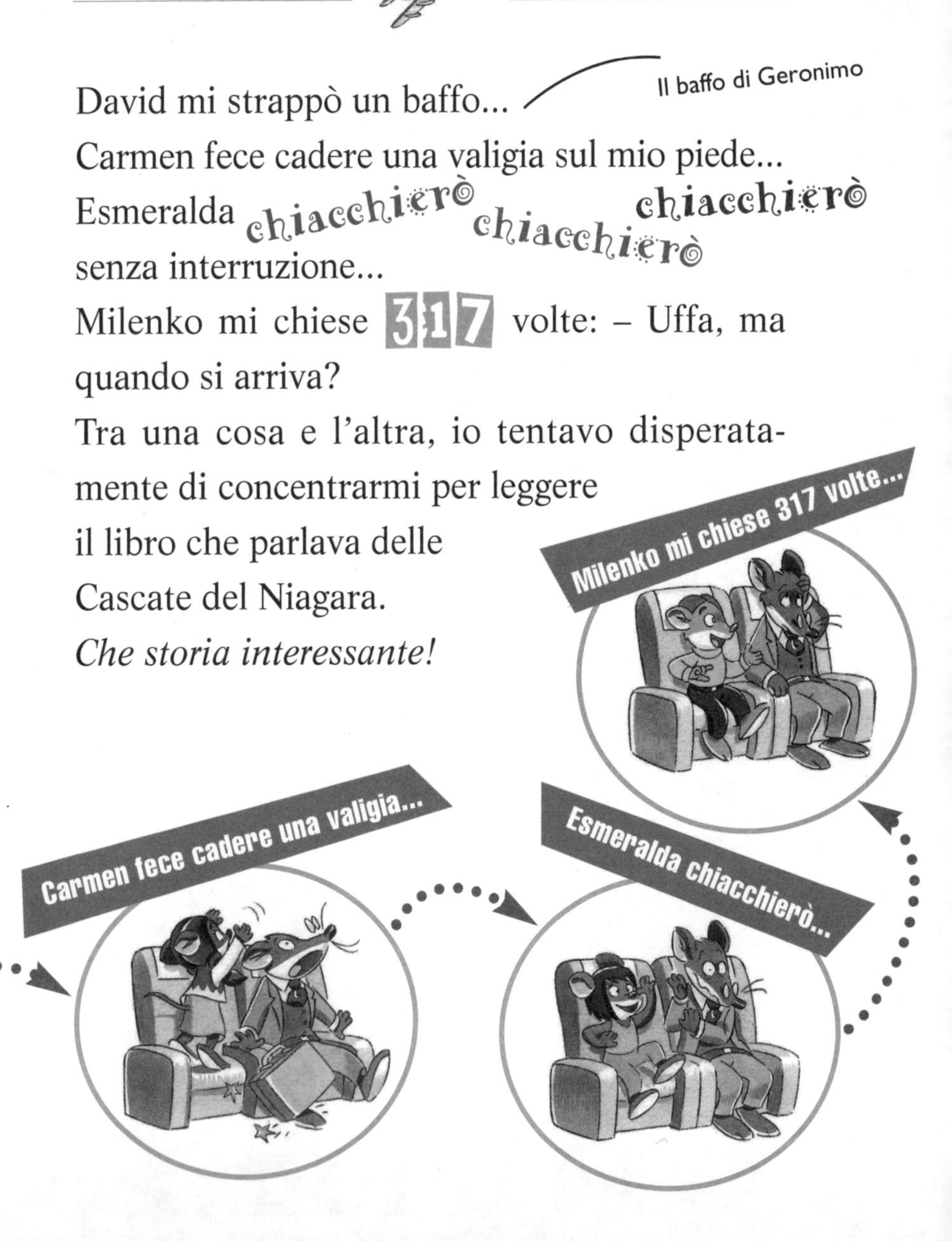

LE CASCATE DEL NIAGARA

Si trovano al confine tra Stati Uniti (a est) e Canada (a ovest) e sono formate dalle acque del fiume Niagara, da cui prendono il nome. Nel tragitto tra il Lago Erie e il Lago Ontario il fiume supera un dislivello di circa 50 metri formando cascate uniche per la loro potenza.

Si tratta di due cascate distinte: dalla parte canadese ci sono le *Horseshoe Falls* (Cascate a ferro di cavallo), larghe circa 790 metri, mentre da quella americana le *Rainbow Falls* (Cascate arcobaleno), larghe circa 305 metri.

D'inverno il fiume ghiaccia mentre l'acqua delle cascate no, perché è in continuo movimento.

Ogni secondo precipitano più di 3 milioni di litri d'acqua!

Per questo le Cascate del Niagara sono anche una preziosa risorsa di energia elettrica: circa il 50% dell'acqua (di notte anche il 75%) è deviato in centrali idroelettriche che riforniscono di elettricità molte città di Stati Uniti e Canada.

La potenza dell'acqua, però, rappresenta un problema per il futuro delle cascate: negli ultimi 12.000 anni l'acqua scorrendo sulla roccia e consumandola ha fatto spostare le cascate di 11 chilometri, formando la Gola del Niagara.

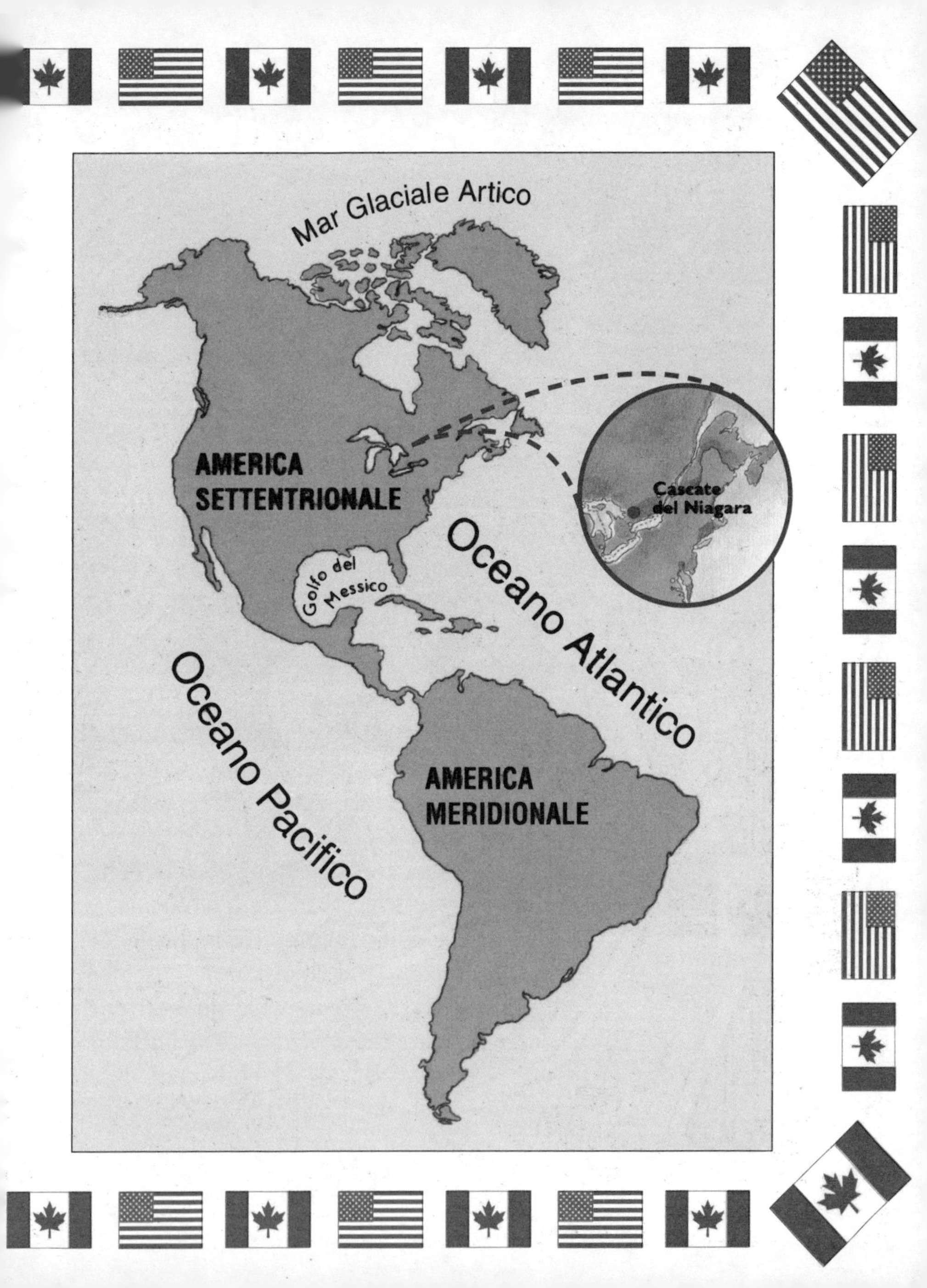

Mar Glaciale Artico
AMERICA SETTENTRIONALE
Cascate del Niagara
Golfo del Messico
Oceano Atlantico
Oceano Pacifico
AMERICA MERIDIONALE

The Whirpool
Niagara Pkwy.
Whirlpool Rapids Bridge
Bridge St.
Morrison St.
Robert Moses Pkwy.
Main St.
Rainbow Bridge
Falls Av.
Victoria Av.
River Rd.
Rainbow Blvd.
Maid of the Mist
RAINBOW FALLS
HORSESHOE FALLS
Niagara Pkwy.
CASCATE CANADESI
Portage Rd.

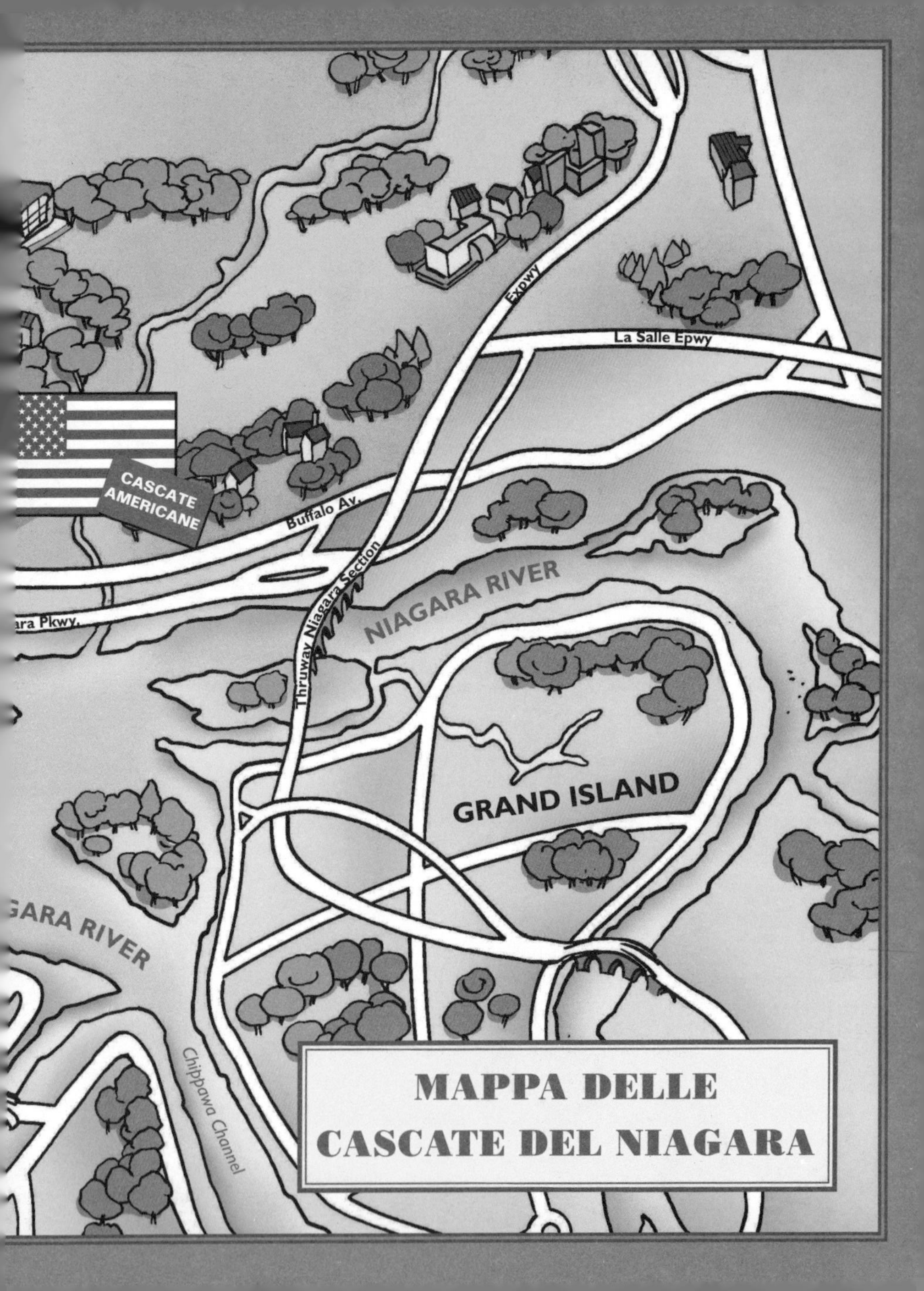

MAPPA DELLE CASCATE DEL NIAGARA

UN PO' DI STORIA...

L'EPOCA DELLE ESPLORAZIONI

Lo spettacolo delle cascate venne osservato per secoli soltanto dagli indiani che vivevano al confine tra America Settentrionale e Canada. Le prime notizie ufficiali risalgono alla seconda metà del Seicento. A renderle famose fu Louis Henneping, frate francescano belga che partecipò alla spedizione nella zona dei Grandi Laghi organizzata dall'esploratore francese Robert Cavelier de la Salle. Nel dicembre del 1678 giunsero alle cascate e rimasero folgorati dalla loro grandiosità...

A quei tempi le cascate avevano un dislivello di più di 180 metri e una portata d'acqua ben due volte superiore a quella attuale!

I PRIMI TURISTI

Il turismo arrivò lentamente. Una delle prime visite importanti risale al 1791, quando il Duca di Kent (padre della futura regina inglese Vittoria), soggiornò nell'unica locanda della zona: una piccola capanna di legno!

Ma i primi gruppi di turisti iniziarono ad arrivare solo dalla seconda metà dell'Ottocento. Le cascate continuarono a richiamare ospiti importanti, come Jêrome Bonaparte, il fratello di Napoleone, che arrivò in carrozza da New Orleans (in Louisiana, negli Stati Uniti) durante il suo viaggio di nozze.

Da quel momento le Cascate del Niagara sono diventate una meta molto frequentata dalle giovani coppie in luna di miele!

TUTTI... TRANNE ME!

Quando eravamo quasi arrivati, il comandante dell'aereo annunciò: – Signore e signori, potete ammirare dal finestrino le famose Cascate del Niagara...

Tutti *erano interessati a vedere le cascate!*

Tutti *si affacciarono al finestrino!*

Tutti *videro le Cascate del Niagara...*

TRANNE ME! TRANNE ME! TRANNE ME! TRANNE ME!

Ero circondato da una folla di ragazzini urlanti e non riuscivo ad alzarmi!

Finalmente l'aereo *atterrò* all'aeroporto di Toronto, in Canada.

Da Toronto prendemmo un **pullman** e dopo **1 ora e mezza** circa di viaggio arrivammo a *Niagara Falls*, la città che sorge vicino alle cascate.

Qui l'autista annunciò: – Potete ora ammirare dal finestrino le famose Cascate del Niagara...

Tutti *erano interessati a vedere le cascate!*

Tutti *si affacciarono al finestrino!*

Tutti *videro le Cascate del Niagara...*

TRANNE ME! TRANNE ME! TRANNE ME! TRANNE ME!

Il mio finestrino era affollato di ragazzini urlanti e io non riuscivo a vedere niente!
Il pullman si fermò. Io scesi e la cosa che più mi colpì fu il **RUMORE FRAGOROSO** delle cascate...
Poi tentai di scattare una foto.

Tutti *erano interessati a fotografare le cascate!*

Tutti *prepararono la macchina fotografica!*

Tutti *fotografarono le Cascate del Niagara...*

TRANNE ME!
TRANNE ME!
TRANNE ME!
TRANNE ME!
TRANNE ME!
TRANNE ME!

Ero sempre circondato da una folla di ragazzini urlanti!
Il pullman quindi ripartì e ci accompagnò vicino alla città di *Niagara on the Lake*.
Era ormai **sera**!

IO NON SO MONTARE UNA TENDA!

Quando il pullman si fermò io chiesi sbadigliando: – Ho **fame** e sono stanchissimo! *In quale albergo si dorme? In quale ristorante si mangia?*

Topitilla De Topillis era stupita.

– Ristorante? Albergo? Signor Geronimo, ma noi siamo venuti per godere della vita all'aria aperta! Per gioire della bellezza della natura! Per scoprire il fascino del **CAMPEGGIO!**

Io lanciai uno sguardo dal finestrino.

Eravamo proprio arrivati in un campeggio!

Io impallidii e mormorai: – Fantastico... ehm, ma chi monterà le tende?

Lei strillò: – Veramente pensavo che le avrebbe montate lei, *signor Geronimo*...

Feci un RAPIDO conto: uhm, in totale eravamo in 24 ... dovevo montare 6 tende per i 22 ragazzini più 1 tenda per me e 1 tenda per Topitilla, cioè in tutto... 8 tende! Più 1 tenda in cui fare colazione tutti insieme! Cioè in totale 9 tende!

Impallidii: – **N-o-v-e t-e-n-d-e?**

Improvvisamente mi ricordai di una cosa.

IO NON SO MONTARE UNA TENDA!

I ragazzi gridarono in coro: – **U-f-f-a-a-a-a-a! S-i-a-m-o-s-t-a-n-c-h-i!**

Io iniziai a rovistare tra i vari pezzi delle tende: teli, cavi, picchetti...

Per mille mozzarelle, non ci capivo niente!

Montai la tenda storta... mi martellai un dito... e mi impacchettai come un salame...

IO NON SO MONTARE UNA TENDA!
DUNQUE
DUNQUE
DUNQUE...
QUESTO
VA MESSO
QUA...
E QUESTO
INVECE VA
MESSO LÀ...
... O FORSE
NO??
AHIAAAAAAAAAAA!
AIUTOOO!
TIRATEMI
FUORI!

Urlai: – *Aiutoooooooooooooooooooooooo!*
Mi venne un **ATTACCO ISTERICO**. – Bastaaa! Non sono capace di montare le tende per 24 roditori, al buio... in un campeggio... in mezzo ai boschi! *Uffffffffffaaaaaaaaaaaaaa!*
Nonsonocapacenonsonocapacenonsonocapacenonsonocapacenonsonocapacenonsonocapace!
Poi Benjamin mi sussurrò in un orecchio: –Telefona a zia Tea, lei sa sempre che cosa fare!
Io mi asciugai le lacrime. – Buona idea!
Chiamai mia sorella e alla fine della telefonata iniziai a montare le tende seguendo i suoi consigli: mezz'ora dopo tutto era pronto.
Eh sì, mia sorella trova sempre una soluzione a ogni problema!
Tutti i ragazzi si infilarono dentro e gridarono in coro: – Che bello dormire in tenda!
Topitilla trillò: – È bello dormire in tenda, vero *signor Geronimo*?

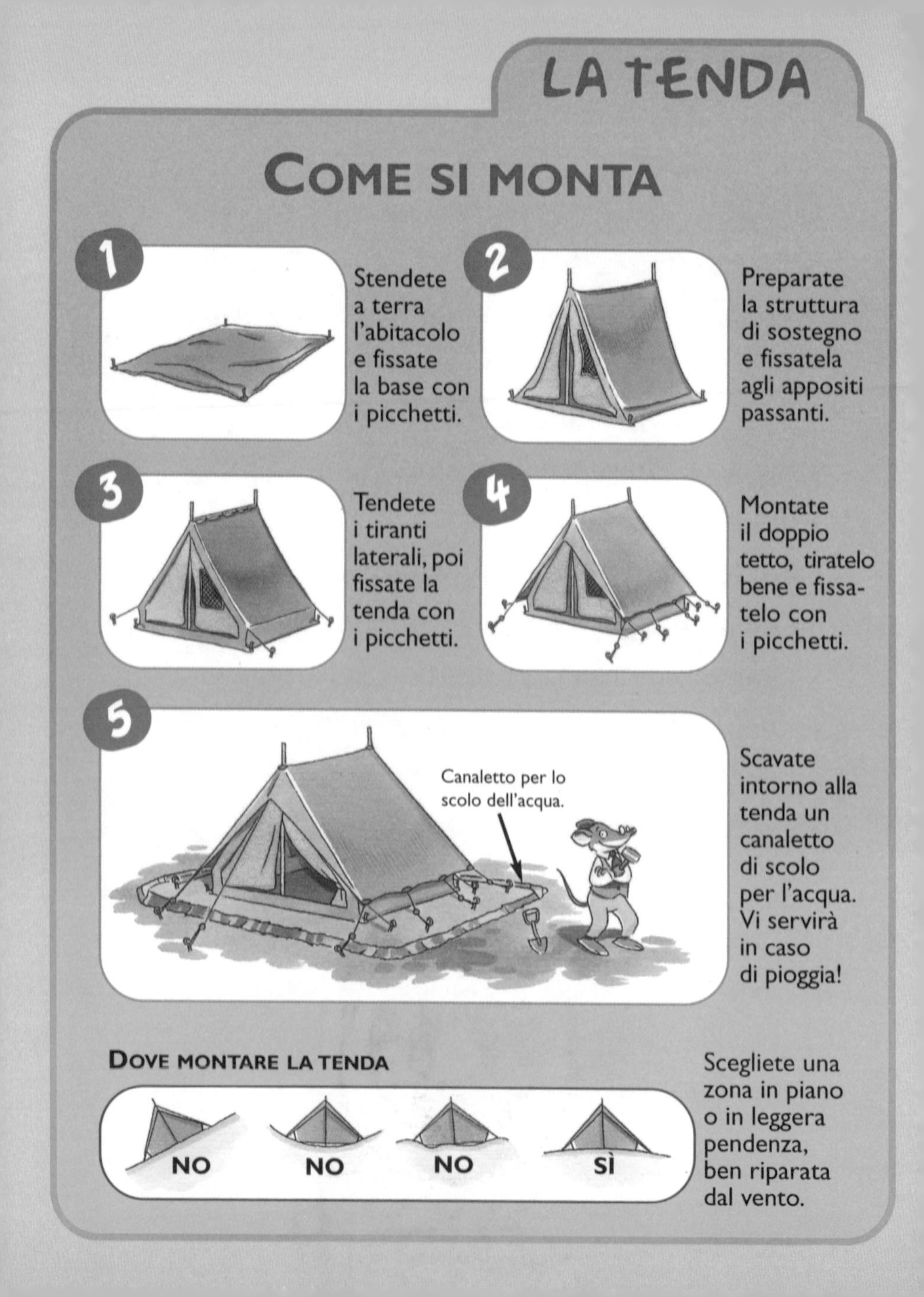

COME SI MONTA

1. Stendete a terra l'abitacolo e fissate la base con i picchetti.

2. Preparate la struttura di sostegno e fissatela agli appositi passanti.

3. Tendete i tiranti laterali, poi fissate la tenda con i picchetti.

4. Montate il doppio tetto, tiratelo bene e fissatelo con i picchetti.

5. Scavate intorno alla tenda un canaletto di scolo per l'acqua. Vi servirà in caso di pioggia!

DOVE MONTARE LA TENDA

Scegliete una zona in piano o in leggera pendenza, ben riparata dal vento.

IO NON SO CUCINARE IN CAMPEGGIO!

Quando tutte le tende furono montate, chiesi:
– Ehm, ma... chi cucinerà?

La maestra strillò: – Veramente pensavo che avrebbe cucinato lei, *signor Geronimo*...

I ragazzi gridarono in coro: – **U-f-f-a-a-a-a-a! A-b-b-i-a-m-o-f-a-m-e!**

MA IO NON SO CUCINARE IN CAMPEGGIO!

Presi l'acqua al ruscello *ma* la rovesciai, tentai di accendere il **FUOCO** *ma* la legna era umida e non si accese, ruppi le uova per una frittata *ma* mi caddero a terra, appoggiai il pane per terra *ma* se lo mangiarono le formiche...
Mi venne un attacco isterico. – Bastaaa! Non sono capace di cucinare per **24** al buio... in un campeggio... in mezzo ai boschi!

Nonsonocapacenonsonocapacenonsonocapacenonsonocapacenonsonocapace!

Benjamin sussurrò: – Chiama ancora zia Tea!
Io telefonai: – Ehm, Tea, avrei un problema...
Grazie ai suoi consigli riuscii ad accendere il fuoco e mezz'ora dopo tutto era pronto.
Eh sì, mia sorella trova sempre una soluzione a ogni problema!

Come si cucina

Appendete la pentola a una catena fissata alla sommità di tre pali di legno legati tra loro.

Potete cuocere uova, pesce, carne sulle pietre sistemate sopra a un piccolo fuoco.

Per la cottura di cibi allo spiedo, infilzateli su un legno sistemato sopra la brace ardente.

Appendete le pentole a un robusto legno appoggiato a due forcelle, come per il braciere.

Per accendere il fuoco scegliete il luogo adatto, osservate la direzione del vento, fate attenzione al pericolo di incendi e tenete vicino un secchio d'acqua da usare per spegnere il fuoco.

Non lasciate mai fuochi incustoditi!

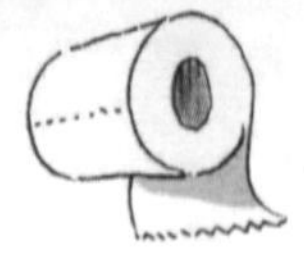

RONFFF... BZZZZ!

Ero così stanco che mi addormentai col muso nel piatto.

Ma qualcuno mi svegliò: – Pssst... pssst... pssssst... *signor Geronimo*!

Io aprii gli occhi e balbettai: – C-che cosa c'è? C-che cosa succede? C-chi mi chiama?

Era Topitilla. – Signor Geronimo, ha dimenticato di preparare... ehm, la toilette!

Io non riuscivo a capire. – Eh? La toilette?

I ragazzi gridarono in coro: – **U-f-f-a-a-a-a-a**!

Io strillai: – Ho capito! Provvedo subito!

Telefonai ancora a mia sorella: – Tea, dovrei farti un'altra domandina...

Mezz'ora dopo, la toilette era pronta.

Eh sì, mia sorella trova sempre una soluzione a ogni problema!

Oh, com'ero stanco! Strisciai nel sacco a pelo e mi addormentai come un sasso iniziando a ronfare di gusto...

Ronfff... bzzz... ronfff... bzzz... ronfff...

STILTON, PERCHÉ NON TI LAVI?

Mi svegliai a notte fonda perché c'era una puzza DISGUSTOSA, peggio che... La pattumiera di un ristorante di pesce a Ferragosto!

Aprii gli occhi... e vidi due occhietti lucidi che mi fissavano!

Balzai fuori dal sacco a pelo **strillando**: – C-chi è? C-che cosa succede?

In tutte le tende del campeggio si accesero le luci e tutti URLARONO:

– MA CHE ODORE!

– MA CHE PUZZA!

CHE PUZZA!
CHE ODORE!
MA CHI
È STATO?
CHE TANFO!

– MA CHE TANFO!

– Da dove viene?

– Dalla tenda di quel tipo...

– Quello che arriva dall'Isola dei Topi...

– Sì, quello che si chiama Stilton...

– Si chiama *Geronimo Stilton*...

– Pare che faccia l'editore...

– È venuto fin qui per accompagnare la classe del suo nipotino...

– Ma perché non si lava?

Io tentai di spiegare: – Non sono stato io... il tanfo... cioè la PUZZA...

Trippo ridacchiò.

– Geronimo è un puzzone... non tocca mai il sapone!

TRIPPO

Io insistetti. – Ho visto due occhi brillare nella notte... e un animaletto con la pelliccia nera a strisce bianche e una coda folta...

Trippo mi prese in giro: – Occhi? Quali occhi? Io non vedo occhi... io sento soltanto una gran PUZZA!

Geronimo vede ciò che non c'è...
pepperepè-peppè-peppè!

Benjamin mi *sussurrò*: – Davvero hai visto due occhi nel buio, zio?

Poi cominciò a sfogliare la guida turistica. Che cosa stava cercando?

Intanto Trippo andava in giro canticchiando:

– Geronimo racconta bugie...
più grosse delle mie!

Benjamin trionfante mostrò a Trippo una pagina della guida turistica.
– Ecco l'animale descritto. Occhietti brillanti... pelliccia NERA, strisce BIANCHE... coda foltissima... puzza... è una MOFFETTA!!! *Aveva ragione mio zio!!!*

La MOFFETTA (o puzzola americana) è un mammifero della famiglia dei mustelidi alla quale appartengono anche la faina, la martora, il tasso, la lontra, il visone, la puzzola, la donnola e l'ermellino. Ha una folta pelliccia marrone o nera, con strisce bianche. Vive nelle zone boscose e si ciba di insetti, piccoli vertebrati e frutta. Per difendersi dai predatori usa un sistema particolare: produce un liquido puzzolente che spruzza fino a un metro di distanza!

NIAGARA... ACQUE TONANTI!

La mattina seguente ci alzammo all'alba e, dopo colazione, ci avviammo lungo il fiume.

Io ero emozionatissimo!

Finalmente avrei visto le Cascate del Niagara! Gli alberi attorno parevano vestiti a festa, con foglie gialle, **rosse** e **brune**.

Era il mese di settembre... quelli erano i colori dell'autunno!

Il sole sorse tingendo il cielo di ROSA. Finalmente ai miei occhi apparve una parete cristallina. Le acque precipitavano con la potenza di **1000** fiumi, rombando come **1000** tuoni.

... come una promessa

D'improvviso un arco dai sette colori sbocciò nel cielo azzurro, come un fiore meraviglioso: i raggi del sole nascente si riflettevano in **1000** goccioline d'acqua sospese nell'aria, formando *un arcobaleno... anzi, due arcobaleni*!!!

di speranza!

Una pace profonda mi riempì il cuore... come una promessa di speranza!

Strinsi la zampetta del mio nipotino: – È uno spettacolo indimenticabile! La bellezza della natura mi riempie sempre il cuore di gioia!

ONGUIAAHRA!

ACQUE TONANTI

Per migliaia di anni le Cascate del Niagara furono conosciute solo dagli indiani Neutral, una tribù pacifica che viveva nei territori confinanti con le bellicose tribù degli Irochesi. Nel corso dei loro lunghi viaggi gli indiani Neutral furono attirati da un forte rumore e scoprirono queste imponenti cascate, che subito chiamarono 'Onguiaahra' cioè 'Acque Tonanti'.

GLI INDIANI D'AMERICA

NORD-EST (Canada sud-orientale e Stati Uniti nord-orientali, fino alla costa dell'oceano Atlantico)

Algonquian: la loro lingua era parlata da un gran numero di tribù.

Irochesi: confederazione di tribù (Cayuga, Mohawk, Seneca, Onondaga e Tuscarora). La loro società era di tipo matriarcale: i capi venivano scelti dalla 'madre del clan', la donna più anziana e più saggia.

Neutral: tribù non guerriera (da qui il loro nome) che abitava tra i laghi Huron, Erie e Ontario.

SUD-EST (costa dell'oceano Atlantico e Golfo del Messico)

Cherokee: il loro capo Sequoyah inventò un alfabeto composto da 85 simboli.

Creek: confederazione di tribù tra gli Stati della Georgia e dell'Alabama.

Seminole: tribù da cui si formarono due gruppi, i Muskogee e i Mikasuki.

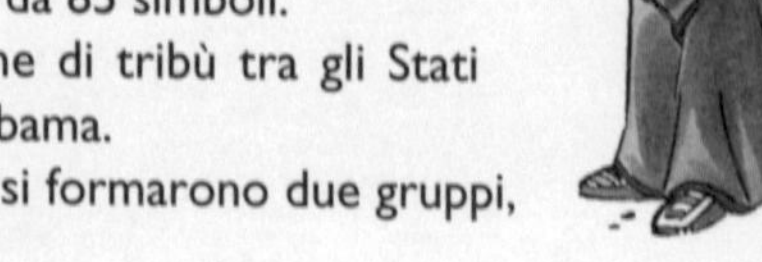

SUD-OVEST (sud degli Stati Uniti e costa sud del Pacifico)

Apache: gruppo di tribù (Mescalero, San Carlos, Fort Apache, Apache Peaks, Mazatzal e altri) che parlavano la stessa lingua. Abili guerrieri, furono tra gli ultimi ad arrendersi ai bianchi. Famosi capi furono Geronimo e Cochise.

Navajo: indiani famosi per l'artigianato (coperte, tappeti e gioielli).

Pueblo: più che a un gruppo di tribù questo termine si riferisce al tipo di villaggi in cui questi indiani vivevano, composti da case di fango e muraglie di roccia.

PIANURE (dal Canada al Messico e dal Mississippi alle Montagne Rocciose)

Cheyenne: tribù nomade, viveva nei classici *tepee* (pronuncia 'tipi'), tende formate da lunghi pali e pelli di bisonte. Erano abili cacciatori di bisonti.

Comanche: guerrieri temuti da tutti, combattevano a cavallo.

Piedi Neri: tribù famosa per l'abilità dei suoi calzolai che fabbricavano mocassini di pelle scura (da qui il loro nome).

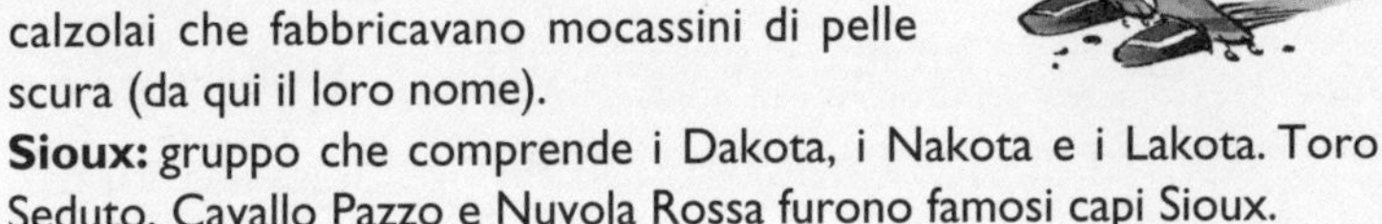

Sioux: gruppo che comprende i Dakota, i Nakota e i Lakota. Toro Seduto, Cavallo Pazzo e Nuvola Rossa furono famosi capi Sioux.

ALTOPIANO E BACINO (dalla Columbia Britannica nel Canada centrale fino a Oregon, Idaho, Wyoming e Montana)

Nez Percé: o Nasi Forati. Tribù pacifica che aveva l'abitudine di portare un ornamento infilato nel naso (da qui il nome).

Shoshoni: cacciatori di bisonti, cercarono la pace con i bianchi durante le guerre indiane.

CALIFORNIA (costa centrale dell'oceano Pacifico)

Hupa: tribù di artigiani (oggetti in legno). Vivevano lungo il fiume in case di legno di cedro e si cibavano di salmone e ghiande.

Wintu: la loro economia era basata su cervo, salmone e ghiande.

NORD-OVEST (costa a nord dell'oceano Pacifico)

Chinook: famosi mercanti di salmone.

Tlingit: abili nella lavorazione del legno di cedro.

TUTTI A BORDO!

Topitilla annunciò: – E ora, prenderemo una barca che ci porterà proprio ai piedi delle cascate. Mi raccomando: siate prudenti, non sporgetevi dal parapetto!
Indossammo un impermeabile di plastica e salimmo a bordo.
Udii un allegro suono di sirena e i marinai mollarono gli ormeggi.

L'imbarcazione si staccò dalla riva e si diresse verso il centro del fiume Niagara.
Com'era diverso osservare le cascate dal **BASSO** anziché dall'**ALTO!**
Solo da qui si capiva davvero quanto fossero maestose... e quanta **POTENZA** sprigionasse l'acqua precipitando dall'alto!
Mi affacciai al parapetto, tenendomi prudentemente al corrimano.
L'acqua sotto di noi filava via ***VELOCE***, formando gorghi minacciosi.
Eravamo sempre più vicini alle cascate!
Ora eravamo **vicinissimi!**

UNA VISITA ALLE CASCATE

L'esperienza a bordo della MAID OF THE MIST (Signora delle Nebbie) è sicuramente molto 'umida', dato che l'imbarcazione arriva, in mezzo agli spruzzi, proprio fino alla base delle cascate! Ma è molto emozionante ed è il modo migliore per riuscire ad apprezzare la potenza di questo enorme volume d'acqua.

CHE EMOZIONE!
CHE SPETTACOLO MOZZAFIATO!
CHE MERAVIGLIA!
MAID OF THE MIST IV

Il ponte era bagnato, gli spruzzi d'acqua mi inzupparono i baffi e la pelliccia.
Eravamo avvolti in una nebbia formata da 1000 e 1000 e 1000 goccioline sospese nell'aria.
Sembrava di essere in un sogno.

Che sensazione irreale!

Mi ricordai una leggenda che parlava proprio delle cascate e la raccontai ai ragazzi...

LA LEGGENDA DELLA SIGNORA DELLE NEBBIE

Tantissimi anni fa, vicino al fiume Niagara viveva una tribù di indiani pacifici. Per salvare la tribù da malattie e mancanza di selvaggina, chiedevano sempre protezione al dio del tuono, che viveva in una caverna sotto le cascate.
Un giorno il dio vide Lelawala, la figlia del grande capo 'Occhio di aquila'. Decise che la voleva per sé!
Gli indiani gli offrirono canoe colme di fiori, frutta e selvaggina, ma il dio insisteva che voleva sposarla.
Lelawala era audace e decise di salvare la sua tribù.
Si presentò vestita di bianco e con una corona di fiori.
Salì su una canoa di legno di betulla e si lanciò coraggiosamente lungo le rapide delle cascate.
Ma quando precipitò dall'alto il dio spalancò le braccia e la afferrò al volo, salvandola.
La fanciulla coraggiosa rimase per sempre nella caverna sotto le cascate.
Fu chiamata 'SIGNORA DELLE NEBBIE' perché alla base delle cascate c'è sempre una fitta nebbia di goccioline d'acqua.

CHI?
CHI?? CHI???

Finii di raccontare quella commovente leggenda INDIANA. La barca stava già ritornando verso riva... ma improvvisamente mi accorsi che **qualcosa non andava.**

Uhm, che cosa non andava?

Mancava *qualcosa*... o *qualcuno*... Corsi su e giù per la barca, contando i ragazzi.

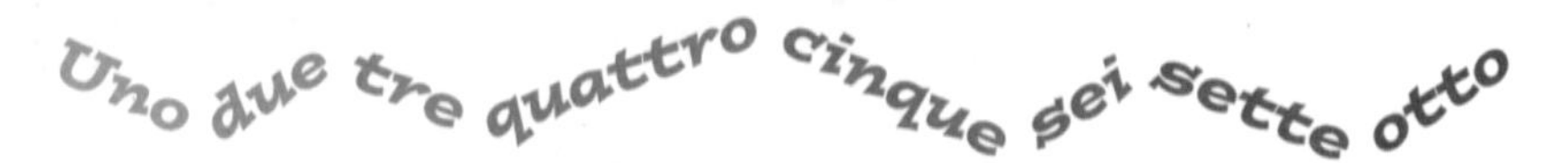

nove dieci undici dodici tredici quattordici quindici sedici diciassette diciotto diciannove venti ventuno...

Ventuno??? Mancava qualcuno!

Ma chi? Ma chi?? Ma chi???

I ragazzi gridarono in coro: – Manca... Trippo!

Cominciammo a chiamarlo.

Trippooo!!!
Trippooo!!!
Trippooo!!!
Trippooo!!!
Trippooo!!!
Trippooo!!!
Trippooo!!!
Trippooo!!!
Trippooo!!!
Trippooo!!!
Trippooo!!!
Trippooo!!!

Finalmente lo vidi sulla riva: si stava sbracciando per chiamarci... era rimasto a terra quando l'imbarcazione era partita!

Gridai: – Stai calmo, Trippo! Non muoverti! **E' PERICOLOSO!** Veniamo a prenderti e ti riportiamo a fare il giro in barca.

Ma in quel momento... Trippo SCIVOLÒ su una roccia bagnata e finì in acqua.

E subito scomparve in un gorgo vorticoso.

Aiutooo!!!

UN TUFFO... NELL'ACQUA GELIDA!

Io mi tuffai a capofitto nell'acqua.
Non pensai neppure per un attimo che...

io non sono un grande nuotatore...
era pericoloso...
stavo rischiando la vita...

Volevo e dovevo salvarlo a tutti i costi!
L'**ACQUA GELIDA** mi sommerse e mi tolse il respiro.
Annaspai **DISPERATAMENTE** per riuscire a ritornare a galla!

Avevo tanta *paura*... ma il desiderio di salvare Trippo era tanto profondo che mi diede la ***FORZA*** di continuare.
Nuotai con tutte le mie forze nelle acque che rimbombavano come *mille tuoni*.
Tentavo di restare a galla, ma l'acqua mi penetrava con le sue

negli occhi, nelle orecchie, nel naso, nella gola!
Mi sentivo soffocare... ma non dovevo perdere di vista Trippo!

Vedevo la sua testa galleggiare su e giù su e giù su e giù sulle onde... su e giù sulle onde... su e giù sulle onde...

Finalmente arrivai vicino a Trippo... ma lui svenne e finì sott'acqua.

Raccolsi tutto il mio coraggio e mi tuffai sotto le onde.

Persi gli occhiali... e senza gli occhiali io ci vedo poco, pochissimo, anzi, **NON CI VEDO UNA CROSTA!**

Ma vidi confusamente una **macchia gialla** e una **macchia blu**... era Trippo!

Riuscii ad afferrarlo, poi mi aggrappai al salvagente che mi avevano lanciato.

Dalla barca tutti *tirarono tirarono tirarono* con forza, gridando: – **Ooooh... issa!**

Eravamo salvi!

LEI NON È UN TOPO... È UN EROE!

Il comandante della barca esclamò: – Per Geronimo Stilton... hip hip urrà!

Tutti gridarono in coro: – Hip hip urrà!

Un turista grande e grosso, in maglietta e pantaloncini corti, che pesava almeno 150 CHILI mi batté una zampa sulla spalla: – *Complimenti!*

Ma senza accorgersi mi pestò il piede sinistro.

Allora urlai: – Ahiaaaaaaa!

AAAAAAAAAAAAAAAAAAAAAAHHHIIIIIAAAAAAAAAAAAAA!
AAAAAAAAAAAAAAAAAAAAAAAHHHIIIIIAAAAAAAAAAAAAA!
AAAAAAAAAAAAAAAAAAAAAAAHHHIIIIIAAAAAAAAAAAAAA!

Mi fasciai subito il piede con la bandana del mio nipotino Benjamin.

Una vecchietta mi baciò commossa, dicendo: – **Bravo, giovanotto! Lei non è un topo... è un eroe!**

Ma mentre mi baciava, mi ficcò il manico della borsetta nell'occhio destro!

Allora urlai: – Ahiaaaaaaa! AAAAAAAAAAAHIIIAAAAAAAAAAAAAAAAAAAAAAAAAAAAAAAA!

Mi legai un fazzoletto blu per ripararmi l'occhio che mi lacrimava: adesso sembravo proprio un PIRATA!

Tutta la classe era ammirata.

Sakura sussurrò a Benjamin: – Sei proprio fortunato ad avere uno zio come Geronimo!

Il mio nipotino diventò tutto ROSSO (è timido, proprio come me) e rispose: – Ehm, sì, lo zio è proprio STRATOPICO!

Poi un marinaio avvolse me e Trippo in una coperta e ci fece bere una tazza di tè caldo molto zuccherato.

Io (che ero senza occhiali) mi rovesciai la tazza su una zampa e mi scottai.

Allora urlai: – Ahiaaaaaaa! AAAAAAAAAAAAAAAAHIIIAAAAAAAAAAAAAAAAAAAAAAAAAAAAAAAAAAA!

Mi fasciai la zampa con il fazzoletto ROSA a FIORELLINI che mi prestò la maestra.

Non so perché, ma io mi sentivo piuttosto **STRESSATO...**

AMICI... PER LA PELLICCIA!

Trippo mi abbracciò. – Grazie, Geronimo! Mi hai salvato la vita! Se penso a tutti gli scherzi che ti ho fatto...

Io sorrisi: – L'ho fatto volentieri, Trippo! Da ora in poi, **saremo amici!**

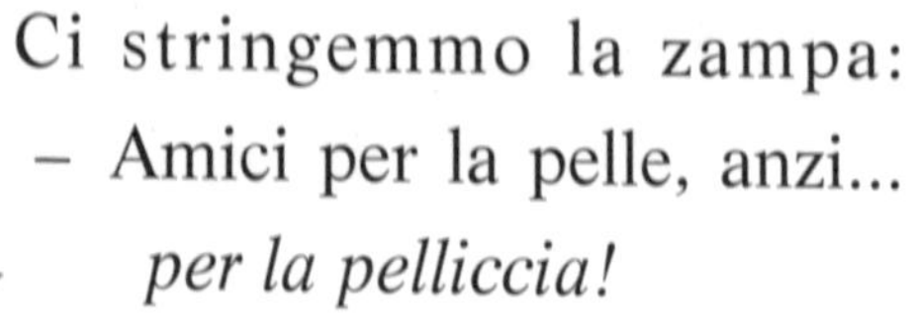

Ci stringemmo la zampa: – Amici per la pelle, anzi... *per la pelliccia!*

Insieme sfogliammo la guida turistica: quanti avventurosi avevano sfidato le

CASCATE!

Gli avventurosi del Niagara

Le Cascate del Niagara hanno ispirato avventurosi di tutto il mondo che si sono esibiti in imprese spettacolari!

La prima avventurosa che si lanciò dalle cascate in una botte fu Annie Taylor, una donna di 63 anni. Compì l'impresa nel 1901, accompagnata dal suo gatto...

Uno dei più avventurosi fu J. François Gravelet, detto Blondin, che nel 1859 e nel 1860 attraversò le cascate camminando su un filo d'acciaio sospeso sopra di esse.

Dopo un primo tentativo fallito per l'intervento delle autorità, Dave Munday riuscì con successo a lanciarsi con la sua botte per ben 2 volte, nel 1985 e nel 1990!

Bobby Leach affrontò le Cascate del Niagara nel 1911 rinchiuso in una botte cilindrica di acciaio, ma fu meno fortunato di Annie e passò i sei mesi successivi in ospedale a curare varie fratture!

I MILLE COLORI DELLA NATURA

Scendemmo dalla barca e ci rimettemmo in marcia lungo la strada.

Per tornare al campeggio prendemmo una... scorciatoia attraverso i boschi.

Gli alberi sembravano vestiti a festa, con il loro abito più bello! Le loro foglie brillavano di Mille calde tonalità.

Io fissavo incantato quello spettacolo meraviglioso. La natura è un grande artista: quanti colori utilizza! In primavera dipinge le chiome degli alberi di verde tenero, poi fa spuntare fiori profumati.

In estate orna le piante appendendo ai loro rami tanti frutti succosi.
In autunno dipinge gli alberi di colori caldi:
giallo, arancione, rosso, bruno...
D'inverno spoglia gli alberi: fa cadere le foglie perché così le piante resisteranno meglio al freddo dell'inverno.
Il sentiero era foderato di foglie secche, che scricchiolavano sotto i nostri passi.
Mentre Benjamin e i suoi amici correvano avanti, mi ritrovai vicino a Topitilla.
Le chiesi: – Lei ha dei *figli*?
Lei arrossì: – Oh, no. Non ho figli.

Io provai a chiedere: – Ma è *sposata*?

Lei sospirò: – Oh, no. Non sono sposata.

Io insistetti: – Mi scusi se sono indiscreto... ma non è neppure *fidanzata*?

Lei si asciugò una lacrima: – Oh, no. Non sono fidanzata. Mi sono INNAMORATA solo una volta, ma è stato *tanti tanti tanti* anni fa...

Poi aprì il medaglione che teneva al collo e mi mostrò un baffo.

– Questo è il baffo del mio innamorato! 
Chissà dov'è adesso...
Io mi asciugai una lacrima.
Ehm, io sono un tipo, *anzi un topo,* molto *sentimentale* e mi commuovo subito!
Proprio allora cominciò a piovere.

Ooooooo*h*... come pioveva!

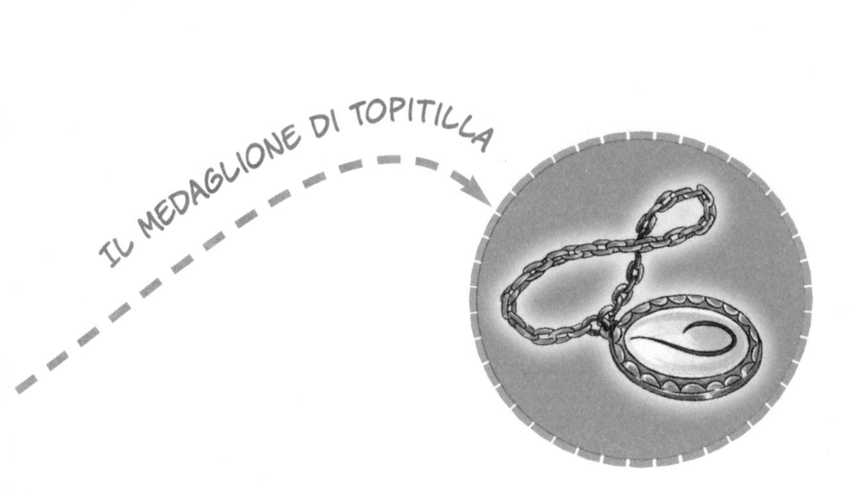

STRETTI STRETTI SOTTO UN OMBRELLO COLOR FORMAGGIO!

Improvvisamente udii una voce gentile *sussurrare piano piano...*

– Signorina, mi permette di aiutarla? Posso offrirle riparo sotto il mio ombrello?

Mi girai curioso e vidi un roditore **sorridente** che reggeva un enorme ombrello giallo decorato a buchi di **FORMAGGIO**.

Aveva un paio di baffi dall'aria fiera.

Pareva avere la stessa età di Topitilla.

Lei arrossì e mormorò: – M-ma tu non sei... *Rattobaldo? Il mio compagno di banco delle elementari?*

Lui diventò **PAONAZZO** e balbettò: – T-tu non sei Topitilla?

– *Come sei cambiato...*

– *Anche tu sei cambiata...*

– *Sei diventato più alto...*

– *Anche tu sei più alta...*

– *Che bei baffi hai...*

– *Che belli i tuoi capelli biondi...*

– *Non hai più gli occhiali?*

– *No, ora uso le lenti a contatto...*

– *Io non porto più l'apparecchio per i denti...*

– *E io non ho più i brufoli, lo hai notato?*

I due si guardarono negli occhi e... si sorrisero.

ERA UN COLPO DI FULMINE!

Tra i due era scoccata una scintilla magica: la scintilla dell'*Amore*, quello con la *A* maiuscola!

Tutti i ragazzi erano fuggiti via, riparandosi in una grotta. Topitilla e Rattobaldo invece erano al riparo sotto l'ombrello.

L'unico che si stava bagnando ero io!

Ero inzuppato fino alle tonsille, GOCCIOLAVOOOOOOOOOOOOO dalla punta dei baffi alla punta della coda!

Tossicchiai per attirare la loro attenzione e dissi: – Scusate se vi interrompo, ma (non so se l'avete notato) sta piovendo...

Loro non mi sentirono neanche e continuarono a fissarsi *sorridendo sorridendo sorridendo*

sorridendo sorridendo sorridendo sorri-dendo sorridendo sorridendo...

Pareva la scena di un film!

Io sospirai e me ne andai rassegnato.

Ma loro due, vicini sotto l'ombrello color formaggio, continuavano a sorridersi.

E anche se pioveva, pareva che fosse spuntato un arcobaleno, perché...

LA NATURA È IL TESORO PIÙ PREZIOSO!

La sera, attorno al fuoco, *Rattobaldo* raccontò: – Io sono *naturalista* (sono laureato in **SCIENZE NATURALI**). Ho sempre sognato di difendere l'ambiente! Amo tutte le specie che popolano questa meravigliosa Terra, ricca di **OCEANI**, **FORESTE**, *aria pura*.

Ci mostrò una foglia d'acero: – Da questa pianta si ottiene il succo d'acero. A proposito, perché non iniziate una collezione di foglie secche?

SUCCO D'ACERO

Il succo d'acero è uno sciroppo che si può bere diluito o usare come dolcificante. Alla fine dell'inverno, gli indiani del Nordamerica incidevano la corteccia dell'acero e raccoglievano la linfa. Poi la bollivano per farne uno sciroppo scuro, denso e dolce. Mescolando a lungo, si cristallizzava in zucchero.

SUCCO DI ACERO

Come collezionare FOGLIE SECCHE

1. Raccogli le foglie cadute per terra, cercando di scegliere quelle più belle con colori, forme e dimensioni diversi.

2. Appena torni a casa, pulisci le foglie e asciugale bene. Per farle seccare, mettile tra due fogli di carta, poi dentro un libro abbastanza pesante in modo da pressarle bene.

3. Quando le foglie sono ben appiattite e secche, incollale in un quaderno o mettile in un album per le foto.

4. Scrivi vicino a ogni foglia il suo nome e la data in cui è stata raccolta.

5. Accanto al suo nome comune, puoi scrivere il nome scientifico, che troverai consultando un'enciclopedia.

Cip... cip cip... cip cip cip!

La MATTINA dopo partimmo per una lunga passeggiata.
Mentre stavamo camminando nel bosco, Rattobaldo iniziò a indicarci le varie piante.
– Ecco un *acero da zucchero*, la cui foglia è

raffigurata nella bandiera del Canada!
Questa invece è una *quercia rossa americana*: in autunno le sue foglie diventano rosse. E questo sapete che albero è?
Kuti disse: – È un *castagno*... io sono **molto golosa** di castagne, ma attenzione a non PUNGERSI con i ricci in cui sono racchiuse!
Rattobaldo ci spiegava quali animali incontravamo: volpi, marmotte, procioni e persino un alce, un animale con corna grandissime.

GLI ALBERI
E LE LORO FOGLIE
Acero da zucchero
Acer saccharum
Acero riccio
Acer platanoides
Acero rosso
Acer rubrum
Acero vite
Acer circinatum
Betulla
Betula pendula
Castagno
Castanea sativa

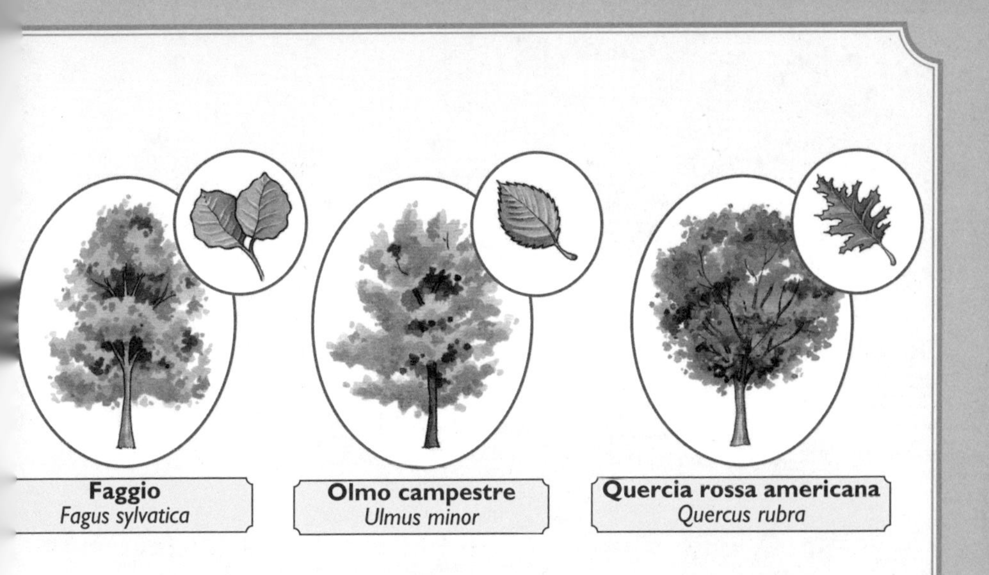

Faggio
Fagus sylvatica

Olmo campestre
Ulmus minor

Quercia rossa americana
Quercus rubra

PIANTE SEMPREVERDI

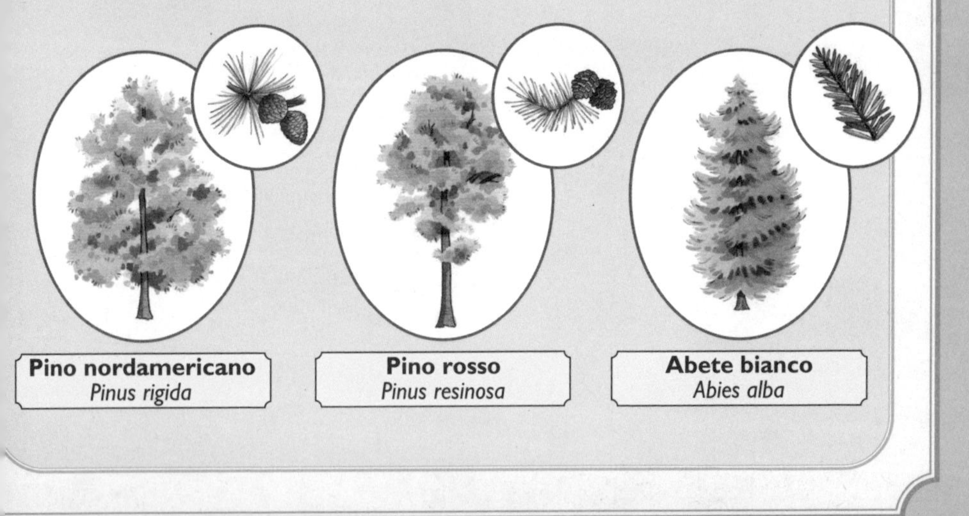

Pino nordamericano
Pinus rigida

Pino rosso
Pinus resinosa

Abete bianco
Abies alba

1
2
12
10
11

GLI ANIMALI DEI BOSCHI DEL NORDAMERICA

1. Opossum virginiano
2. Cardinale rosso
3. Alce
4. Scoiattolo volante
5. Picchio
6. Lupo
7. Coniglio-coda-di-cotone
8. Procione
9. Moffetta
10. Castoro
11. Lontra
12. Cervo virginiano

Improvvisamente io sentii un cinguettio.
– *Cip cip cip... cip... cip cip... cip cip cip...*
Poi udii di nuovo: – *Cip cip cip... cip...*
Ora era più vicino! – *Cip... cip... cip...*
Tra le radici di una quercia trovai un uccellino: – È caduto dal nido! Dobbiamo soccorrerlo subito!

S.O.S. COME SOCCORRERE UN UCCELLINO

1) *Quando trovi un uccellino caduto per terra, cerca il nido nelle vicinanze, rimettilo dentro e aspetta un po'... i suoi genitori potrebbero arrivare a recuperarlo.*

2) *Se il nido non c'è, raccoglilo da terra prendendolo delicatamente tra le mani.*

3) *Se l'uccellino è molto piccolo e ancora senza piume, devi nutrirlo con omogeneizzati usando una siringa senza ago. I piccoli mangiano poco ma spesso, circa ogni ora.*

4) *Se invece ha le piume, osserva il becco: se è corto e robusto dagli da mangiare semi di granaglie, se è lungo e sottile insetti.*

5) *Tienilo in una postazione simile al nido, al caldo: per esempio, una scatola con un panno di lana.*

6) *Appena sarà in grado di volare, lascialo andare.*

Un uccellino!
Cip cip cip... cip...

SALVIAMO LA FORESTA!

Capimmo che l'uccellino si nutriva di semi.
Dopo averlo sfamato, lo ponemmo in un nido improvvisato con una scatola e un panno.
Proprio allora udii un grido: – AL FUOCOOOO!
Io chiamai aiuto con il telefonino:
– **ACCORRETE! LA FORESTA STA BRUCIANDO!**
La guardia forestale rispose: – Mandiamo subito un aereo per spegnere l'incendio!
Rattobaldo gridò: – **STATE CALMI!** Ora vi spiegherò che cosa si deve fare in caso d'incendio! Ci divideremo in due squadre...
La prima squadra controllò da quale direzione **soffiava** il vento e scavò dei *sentieri*

tagliafuoco, cioè delle **STRISCE DI TERRA** senza piante, dove il fuoco non può allargarsi... perché non trova niente da bruciare!
Intanto l'altra squadra cercò di organizzare velocemente una catena di secchi colmi d'**acqua**.

I secchi venivano riempiti al ruscello e passati da una mano all'altra, finché arrivavano al fuoco e venivano rovesciati sulle fiamme.
Il calore aumentava e l'aria stava diventando irrespirabile. Ci legammo sul muso fazzoletti bagnati per difenderci dal fumo, poi ci fasciammo le mani per non scottarci con i secchi di metallo che erano diventati **ROVENTI!**

Finalmente sentimmo un rumore di motori: era l'aereo della guardia forestale, con un serbatoio enorme colmo d'acqua! L'aereo rovesciò il suo carico d'acqua sulle fiamme, poi ripartì per fare rifornimento in un lago.
Proprio allora mi accorsi di una cosa strana... mancava Topitilla!
Rattobaldo diventò PALLIDISSIMO.
Esmeralda gridò: – L'ho vista correre verso quei cespugli. Voleva salvare un cerbiatto ferito!
Rattobaldo gridò: – Topitilla, io ti salverò!
Poi scomparve tra le nuvole di fumo.
Dopo un tempo che mi parve interminabile, riemerse dal fumo reggendo tra le braccia la sua adorata Topitilla.

SEI PRONTO PER UNA SORPRESA???

Quella sera, Topitilla e Rattobaldo ci chiamarono tutti attorno al fuoco.

Tenendosi teneramente la zampa, annunciarono emozionatissimi: – Abbiamo una grande notizia da darvi... Abbiamo deciso di sposarci!

Benjamin chiese stupito:

– Ma quando?

I due risposero in coro:

– Il più presto possibile!

Giusto il tempo di organizzare la cerimonia...

Pochi giorni dopo tutto era pronto.
Topitilla non aveva un **abito da sposa** perché non c'era stato il tempo per pensarci.
Ma i due erano tanto felici che i dettagli non contavano!
Proprio in quel momento sentii **VIBRARE** il mio telefonino.
Uhm, che cosa succedeva?
Lessi un messaggio di Tea:

Sei pronto per una sorpresa???

Io rabbrividii. Non sono ***MAI*** pronto per le sorprese di mia sorella.
Quando annuncia una sorpresa di solito... anzi quasi sempre... praticamente sempre...

c'è da preoccuparsi!

FLAP FLAP FLAP... VRUUUMMMMMMMMM!

Proprio in quel momento... mi parve di udire uno **strano** rumore.

FLAP FLAP FLAP... VRUUUMMMMMMMMMMM!

Mi guardai *attorno*... niente.

Guardai *a destra*... niente.

Guardai *a sinistra*... niente.

Guardai *avanti*... niente.

Guardai *indietro*... niente.

Guardai *in basso*... niente.

Guardai *in alto*... e lanciai uno strillo.

Proprio sopra di me c'era...

Un elicottero rosa confetto!

Che lanciava confetti **rosa!**
E gettava biglietti di carta **rosa** su cui erano scritti i nomi degli sposi con inchiostro **rosa!**
E spargeva profumatissimi petali di **rosa!**
Lanciai un urlo: un confetto **rosa** mi aveva centrato il naso!
E poi una **rosa** intera (comprese le spine!) mi piombò su un orecchio!
Topitilla gridò: – Ma chi può essere? Chi può pilotare un elicottero color **rosa confetto?**
Io borbottai: – Esiste un solo roditore al mondo, anzi una sola *roditrice*, che può fare una cosa del genere. E questa è proprio mia sorella, **Tea Stilton!!!**

AGGHHH!

Spiegai agli altri: – Quella che vedete sull'elicottero è mia sorella Tea!

Proprio in quel momento, però, mi piombò dritto dritto sulla testa un enorme pacco avvolto in carta da regalo **rosa**.

Era appeso a un piccolo paracadute **rosa**. Sopra c'era scritto:

Loro aprirono il pacco curiosi: conteneva un abito da cerimonia per lui e uno splendido abito da sposa per lei, con velo e guanti!

Dall'alto Tea annunciò con un altoparlante: – Senza un abito da sposa... non sarebbe un vero matrimonio! *Auguri agli sposi!*

Evviva gli sposi!

Barbechiù for iù!

Nell'aria si sprigionò un profumino delizioso. Era... pareva... ma sì, si trattava proprio di...

profumo di barbecue!

Corsi verso il campeggio e vidi un cartellone su cui qualcuno aveva scritto:

BARBECHIU' FOR IU'!

VOI PORTATTE IL PIATTO... KHE ALLA CICCIA CI PENZO IO! GRIGLIATTA MIZTA DI BISTECHINE, COSTATINE, SALCICCINE E VERDURRINE ACOMPA-NIATE DA SALSINE... FIRMATE DAL MILIOR CUOCCO DEL MONNDO!

Io riflettei.
Uhm, esisteva un solo roditore al mondo con una grafia tanto disordinata... e che facesse tanti errori di ortografia... e che fosse *tanto vanitoso* da definirsi *'il miglior cuoco del mondo'...*

MIO CUGINO TRAPPOLA!!!

Da dietro una nuvola di fumo vidi spuntare un paio di baffi unti di sugo, un muso cicciotto e una pancia **TRIPPOSA**... *era lui lui lui!!!*
Trappola sbatté sulla griglia un forchettone e strillò: – Venghino... venghino signori ad assaggiare il più stratopico banchetto di nozze del mondo! Gustate la mia ciccia alla griglia! Salsine da leccarsi i baffi e i controbaffi, garantisce Trappola! **TRAPPOLA** come...

T *come* **TE LA DO IO LA GRIGLIATA!**

R *come* **RAGAZZI CORRETE!**

A *come* **ALLENATE LA GANASCIA!**

P *come* **PAPPA COSÌ IN GIRO NON CE N'È!**

P *come* **PER VOI È GRATIS!**

O *come* **OCCHIO CHE INIZIA LA FESTA!**

L *come* **LECCATEVI I BAFFI!**

A *come* **ARRIVATE O NO???**

Ci mettemmo tutti in fila leccandoci i baffi. Mio cugino era il solito vanitoso, ma su una cosa aveva ragione... quella grigliata era proprio **ECCEZIONALE!**

Trappola mi vide e strizzò l'occhio:
– Benjamin ci ha telefonato per avvisare che la sua maestra si sposava. Allora Tea e io siamo venuti in elicottero... io ho deciso di offrire il *Banchetto di Nozze!*
Mentre tutti si abboffavano, Tea mi portò in elicottero sopra le cascate: che meraviglioso spettacolo della natura!
Alla fine della giornata, quando gli invitati si alzarono da tavola **FELICI E SODDISFATTI**, partimmo per l'Isola dei Topi.

GNAM GNAM GNAM GNAM GNAM GNAM

Io mi sento lo zio di tutti i topini del mondo!

Dopo un lungo viaggio, atterrammo all'aeroporto di Topazia.

Era stato bello vivere insieme quell'avventura!

Topitilla e Rattobaldo mi strinsero la zampa *commossi!*

– Grazie, Geronimo! Se ci siamo *ritrovati ritrovati* dopo tanti anni... è stato grazie a te!

Io annunciai alla classe di Benjamin: – Vi invito tutti quanti a visitare l'*Eco del Roditore.* Scoprirete come si stampano i giornali e come nasce un libro! **E ci divertiremo moltissimo!**

– Urrà! – gridò tutta la classe in coro.

Trippo mi chiese COMMOSSO: – Geronimuccio, posso chiamarti zio?
Io risposi: – Certo che puoi chiamarmi zio. Però ricorda, il mio nome è Stilton, Geronimo Stilton.
– Ok, zio Geronimone.
– Ti ho detto che il mio nome è Geronimo...
– Va bene, zio Geronimino.
– Veramente io mi chiamo Geronimo...
– Sì sì sì, HO CAPITO, zio Geronimocchio.
– Guarda che io mi chiamo Geronimo...

– Ma certo, ho capito, zio Geronimotto.

– Io mi chiamo G-E-R-O-N-I-M-O...

– Uff, zio Geronimicchio, ho sentito!

Io **rinunciai** e sospirai.

Trippo era fatto così!

Lui mi voleva bene.

E anch'io gliene volevo.

Mi faceva piacere se mi chiamava zio: io mi sento lo zio di tutti i topini del mondo!

E voglio bene a tutti i lettori... sì, anche a te, proprio a te che stai leggendo il mio libro!

Scrivi qui il tuo nome!

Io, Geronimo Stilton, voglio bene a:

....

VIAGGIARE... È MEGLIO CHE ARRIVARE!

Ci avviammo verso l'uscita dell'aeroporto. Ma proprio allora mi accorsi che non avevo voglia di tornare a Topazia. Avevo voglia... avevo voglia... avevo voglia... *Per mille mozzarelle,* avevo voglia... **AVEVO VOGLIA DI CONTINUARE A VIAGGIARE!**

Viaggiando si imparano cose nuove, si scoprono le abitudini di popoli diversi, si allargano i propri orizzonti, perché si scopre che il mondo è grande e ci sono tanti modi diversi di essere felici!

Mi tornò in mente una celebre frase di uno dei miei autori preferiti,

che ha scritto uno dei più bei libri di tutti i tempi, l'**ISOLA DEL TESORO**.

È ROBERT LOUIS STEVENSON!

Ha scritto: 'VIAGGIARE È MEGLIO CHE ARRIVARE!'.

Chiesi ai miei amici: – Avete voglia di ripartire per un **avventuroso** viaggio in tutta l'America del Nord, dall'Alaska alla Florida?

Loro gridarono in coro: – Sìììììììììììììì!

Rientrammo di corsa in aeroporto e ripartimmo per gli Stati Uniti. Ma questa è un'altra storia! Un'altra storia coi baffi... parola di Stilton, *Geronimo Stilton!*

Indice

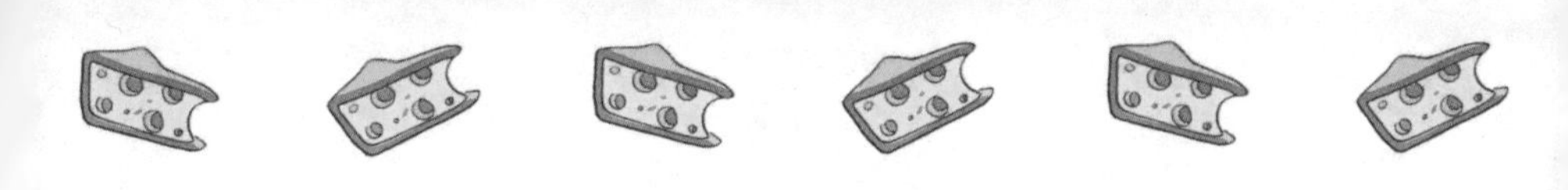

Geronimo Stilton

STORIE DA RIDERE
di *Geronimo Stilton*

1. Il misterioso manoscritto di Nostratopus
2. Un camper color formaggio
3. Giù le zampe, faccia di fontina!
4. Il mistero del tesoro scomparso
5. Il fantasma del metrò
6. Quattro topi nella Giungla Nera
7. Il mistero dell'occhio di smeraldo
8. Il galeone dei Gatti Pirati
9. Una granita di mosche per il Conte
10. Il sorriso di Monna Topisa
11. Tutta colpa di un caffè con panna
12. Il mio nome è Stilton, Geronimo Stilton
13. Un assurdo weekend per Geronimo
14. Benvenuti a Rocca Taccagna
15. L'amore è come il formaggio...
16. Il castello di Zampaciccia Zanzamiao
17. L'hai voluta la vacanza, Stilton?
18. Ci tengo alla pelliccia, io!
19. Attenti ai baffi... arriva Topigoni!
20. Il mistero della piramide di formaggio
21. È Natale, Stilton!
22. Per mille mozzarelle... ho vinto al Tototopo!
23. Il segreto della Famiglia Tenebrax
24. Quella stratopica vacanza alla pensione Mirasorci...
25. La più grande gara di barzellette del mondo
26. Halloween... che fifa felina!
27. Un vero gentiltopo non fa... spuzzette!
28. Il libro-valigetta giochi da viaggio
29. L'isola del tesoro fantasma
30. Il Tempio del Rubino di Fuoco
31. La maratona più pazza del mondo!
32. Il libro dei giochi delle vacanze
33. Il misterioso ladro di formaggi
34. Uno stratopico giorno... da campione
35. Quattro topi nel Far West!
36. In campeggio alle Cascate del Niagara

TOP-SELLER
di *Geronimo Stilton*

È Natale, Stilton!
Halloween... che fifa felina!

- 1000 Barzellette vincenti
- Viaggio nel Tempo
- Nel Regno della Fantasia
- 1000 Barzellette irresistibili
- Il Segreto del Coraggio
- 1000 Barzellette stratopiche

Il piccolo Libro della Pace
Una tenera, tenera, tenera storia sotto la neve
Un meraviglioso mondo per Oliver
Come diventare uno scrittore stratopico
Il piccolo Libro della Felicità
Il piccolo Libro della Natura

LIBRI PARLANTI
di *Geronimo Stilton*

1. Il castello di Zampaciccia Zanzamiao
2. L'amore è come il formaggio...
3. Quattro topi nella Giungla Nera
4. Il mistero della piramide di formaggio
5. La più grande gara di barzellette del mondo
6. Il galeone dei Gatti Pirati
7. Il segreto della Famiglia Tenebrax
8. Il fantasma del metrò
9. Una granita di mosche per il Conte
10. Giù le zampe, faccia di fontina!
11. Il misterioso manoscritto di Nostratopus
12. Un camper color formaggio
13. Il mio nome è Stilton, Geronimo Stilton
14. Il mistero del tesoro scomparso
15. Il mistero dell'occhio di smeraldo
16. Per mille mozzarelle... ho vinto al Tototopo!
17. Tutta colpa di un caffè con panna
18. Benvenuti a Rocca Taccagna
19. Un assurdo weekend per Geronimo
20. Halloween... che fifa felina!

AUDIOLIBRI MUSICALI
di *Geronimo Stilton*

1. Per mille mozzarelle... ho vinto al Tototopo!
2. Il segreto della Famiglia Tenebrax
3. Tutta colpa di un caffè con panna
4. Il misterioso manoscritto di Nostratopus
5. Il sorriso di Monna Topisa
6. L'hai voluta la vacanza, Stilton
7. Benvenuti a Rocca Taccagna
8. Un assurdo weekend per Geronimo
9. Un camper color formaggio
10. Halloween... che fifa felina!
11. È Natale, Stilton!

12. Ci tengo alla pelliccia, io!
13. L'amore è come il formaggio...
14. Il fantasma del metrò
15. Quattro topi nella Giungla Nera
16. Giù le zampe, faccia di fontina!
17. Il mistero del tesoro scomparso

SUPERMANUALI
di *Geronimo Stilton*

Il grande libro delle barzellette
Il mio primo manuale di Internet
Il mio primo dizionario di Inglese

LIBRI ZAINETTO
di *Geronimo Stilton*

- L'Amicizia è...
- L'Avventura è...
- L'Allegria è...
- La Scuola è...
- Natale è...
- L'Amore è...

I MISTERI DI FICCANASO SQUITT
di *Geronimo Stilton*

1. Lo strano caso del vulcano Puzzifero
2. Lo strano caso della Pantegana Puzzona
3. Lo strano caso del Calamarone Gigante
4. Lo strano caso della Torre Pagliaccia
5. Lo strano caso degli Stratopici Dieci
6. Lo strano caso del Sorcio Stonato
7. Lo strano caso dei Giochi Olimpici

AVVENTURE ESTREME
di *Geronimo Stilton*

1. Da scamorza a vero topo... in 4 giorni e mezzo!
2. Che fifa sul Kilimangiaro!
3. Te lo do io il Karate!

STORIE TENEBROSE
di *Tenebrosa Tenebrax*

1. Chi ha rapito Languorina?

SEGRETI & SEGRETI
di *Pissipissy Rattazz*

1. La vera storia di Geronimo Stilton

Noi dell'*Eco del Roditore* siamo già al lavoro per pubblicare il prossimo libro, parola di Stilton...

Geronimo Stilton

Eco del Roditore

1. Ingresso
2. Tipografia (qui vengono stampati i libri e i giornali)
3. Amministrazione
4. Redazione (qui lavorano redattori, grafici, illustratori)
5. Ufficio di Geronimo Stilton
6. Pista di atterraggio per elicotteri

Fiume Topazio
Spiaggia
1
2
3
4
5
6
7
8
9
10
11
12
13
14
15
16
17
18
19
20
21
22
23
24
25
26
27
28
29
30
31
32
33
34
35
36
37
38
39
40
41
42
43

Topazia, la Città dei Topi

1. Zona industriale di Topazia
2. Fabbriche di Formaggi
3. Aeroporto
4. Televisione e radio
5. Mercato del Formaggio
6. Mercato del Pesce
7. Municipio
8. Castello Snobbacchiottis
9. Sette colli di Topazia
10. Stazione ferroviaria
11. Centro Commerciale
12. Cinema
13. Palestra
14. Salone dei Concerti
15. Piazza Pietra Che Canta
16. Teatro Tortiglione
17. Grand Hotel
18. Ospedale
19. Orto Botanico
20. Bazar della Pulce Zoppa
21. Parcheggio
22. Museo di Arte Moderna
23. Università e Biblioteca
24. Gazzetta del Ratto
25. Eco del Roditore
26. Casa di Trappola
27. Quartiere della Moda
28. Ristorante Au Fromage d'Or
29. Centro per la Difesa del Mare e dell'Ambiente
30. Capitaneria
31. Stadio
32. Campo da Golf
33. Piscina
34. Tennis
35. Parco dei divertimenti
36. Casa di Geronimo
37. Quartiere degli Antiquari
38. Libreria
39. Cantieri navali
40. Casa di Tea
41. Porto
42. Faro
43. Statua della Libertà

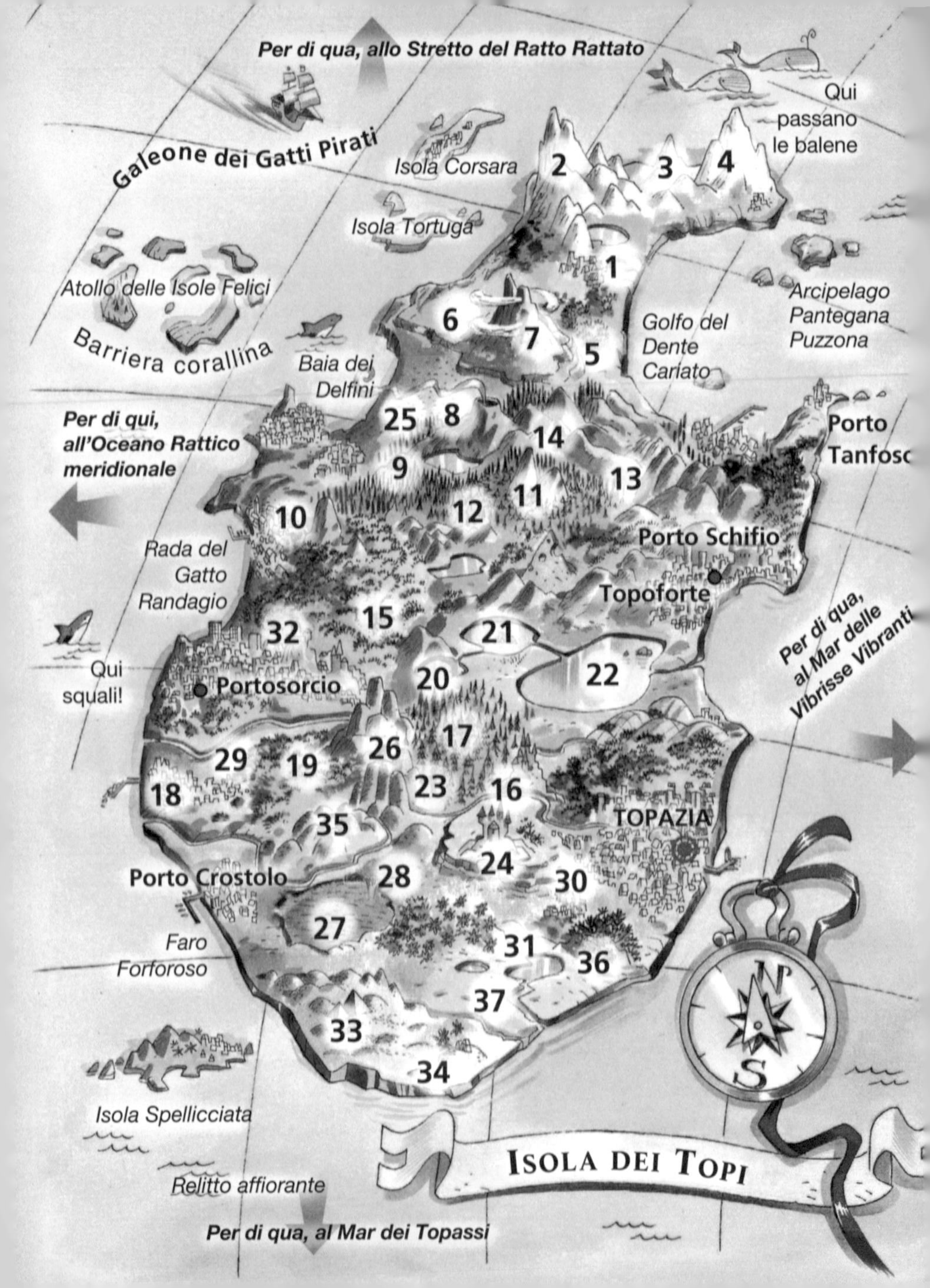
Per di qua, allo Stretto del Ratto Rattato
Galeone dei Gatti Pirati
Isola Corsara
Qui passano le balene
Isola Tortuga
Atollo delle Isole Felici
Barriera corallina
Baia dei Delfini
Golfo del Dente Cariato
Arcipelago Pantegana Puzzona
Per di qui, all'Oceano Rattico meridionale
Porto Tanfosc
Porto Schifio
Topoforte
Rada del Gatto Randagio
Per di qua, al Mar delle Vibrisse Vibranti
Qui squali!
Portosorcio
TOPAZIA
Porto Crostolo
Faro Forforoso
Isola Spellicciata
Relitto affiorante
Per di qua, al Mar dei Topassi
Isola dei Topi
1
2
3
4
5
6
7
8
9
10
11
12
13
14
15
16
17
18
19
20
21
22
23
24
25
26
27
28
29
30
31
32
33
34
35
36
37
N
S

Isola dei Topi

1. Grande Lago di Ghiaccio
2. Picco Pelliccia Ghiacciata
3. Picco Telodoioilghiacciaio
4. Picco Chepiufreddononsipuò
5. Topikistan
6. Transtopacchia
7. Picco Vampiro
8. Vulcano Sorcifero
9. Lago Zolfoso
10. Passo del Gatto Stanco
11. Picco Puzzolo
12. Foresta Oscura
13. Valle Misteriosa
14. Picco Brividoso
15. Passo della Linea d'Ombra
16. Rocca Taccagna
17. Parco Nazionale per la Difesa della Natura
18. Las Topayas Marinas
19. Foresta dei Fossili
20. Lago Lago
21. Lago Lagolago
22. Lago Lagolagolago
23. Rocca Robiola
24. Castello Zanzamiao
25. Valle Sequoie Giganti
26. Fonte Fontina
27. Paludi solforose
28. Geyser
29. Valle dei Ratti
30. Valle Panteganosa
31. Palude delle Zanzare
32. Rocca Stracchina
33. Deserto del Tophara
34. Oasi del Cammello Sputacchioso
35. Punta Cocuzzola
36. Giungla Nera
37. Rio Mosquito

Cari amici roditori,
arrivederci al prossimo libro.
Un altro libro coi baffi,
parola di Stilton...

Geronimo Stilton